J'apprends
à lire
avec Sami et J...

C000115666

Vive Noël !

Texte
Laurence Lesbre

Illustrations
Thérèse Bonté

hachette
ÉDUCATION

Avec Sami et Julie, lire est un plaisir !

Avant de lire l'histoire

- Parlez ensemble du titre et de l'illustration en couverture, afin de préparer la compréhension globale de l'histoire.
- Vous pouvez, dans un premier temps, lire l'histoire en entier à votre enfant, pour qu'ensuite il la lise seul.
- Si besoin, proposez les activités de préparation à la lecture aux pages 4 et 5. Elles permettront de déchiffrer les mots les plus difficiles.

Après avoir lu l'histoire

- Parlez ensemble de l'histoire en posant les questions de la page 30 : « As-tu bien compris l'histoire ? »
- Vous pouvez aussi parler ensemble de ses réactions, de son avis, en vous appuyant sur les questions de la page 31 : «Et toi, qu'en penses-tu ?»

Bonne lecture !

Couverture : Mélissa Chalot
Maquette intérieure : Mélissa Chalot
Mise en pages : Typo-Virgule
Illustrations : Thérèse Bonté
Édition : Laurence Lesbre
Relecture ortho-typo : Jean-Pierre Leblan

ISBN : 978-2-01-290380-7
© Hachette Livre 2016.

Achevé d'imprimer Septembre 2021 en Espagne par Grafo
Dépôt légal : Novembre 2016 - Edition 16 - 28/6121/5

Les personnages de l'histoire

Pour préparer la lecture

1 Montre le dessin quand tu entends le son (n) comme dans <u>n</u>appe.

2 Montre le dessin quand tu entends le son (m) comme dans <u>m</u>enu.

3 Lis ces syllabes.

tri　bu　dar　va　dor　el

ra　ar　bre　be　bar　bra

4 Lis ces mots-outils.

et   ils   la   de   est

un   une   les   va   sur

5 Lis les mots de l'histoire.

Père Noël   renne   hotte

nuit   barbe   arbre

Sami, Julie, Tobi, Papa
et Maman arrivent !

La tribu est réunie.

Même le bébé de Tatie

est là !

Un bel arbre de Noël

trône. Il est énorme.

Top !

À l'apéritif, Mamie a mis le CD de Tino Rossi.

Elle adore.

Mamie a mis une belle
nappe et préparé
un menu de fête !

Le Père Noël passera à minuit :
Bonne nuit, les petits !

16

Sami râle.

Sami n'arrive pas

à dormir !

Le Père Noël va-t-il

venir ?

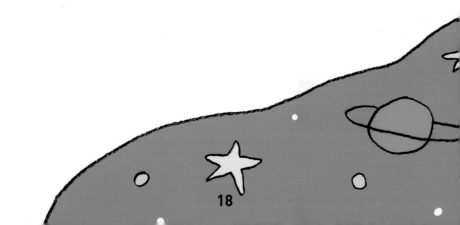

Sami rêve : les rennes

tirent le Père Noël !

Il a une belle barbe

et une hotte sur le dos.

Le Père Noël est passé !

Vive Noël !

Sami a une épée laser
et la tenue
de Dark Vador !

Sami dit :

– Et Tobi alors ?

Il a un os !

As-tu bien compris l'histoire ?

1 Chez qui Sami et Julie fêtent-ils Noël ?

2 Sais-tu ce que veut dire « la tribu » dans le texte ?

3 À quelle heure doit passer le Père Noël ?

4 Pourquoi Sami a-t-il du mal à s'endormir ?

5 Quels cadeaux reçoit Sami ?

Et toi, qu'en penses-tu ?

Est-ce
que tu aimes
Noël ?

Quelle est
ta chanson de Noël
préférée ?

Avec qui
fêtes-tu
Noël ?

À ton avis,
c'est quoi
« l'esprit de Noël » :
avoir beaucoup
de cadeaux ?
ou passer du temps
avec ceux
qu'on aime ?

Quel est
le plus beau cadeau
de Noël
que tu aies
reçu ?

Dans la même collection

Niveau 1
Début de CP

Niveau 2
Milieu de CP

Niveau 3
Fin de CP

Niveau CE1

Niveau CE2

NOUVEAU !

hachette
ÉDUCATION